Cosas que me gustan de

Mi familia

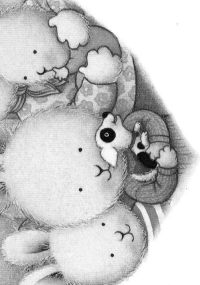

Trace Moroney

Me gusta mucho

mi familia
y quiero mucho

a mi madre,

a mi padre,

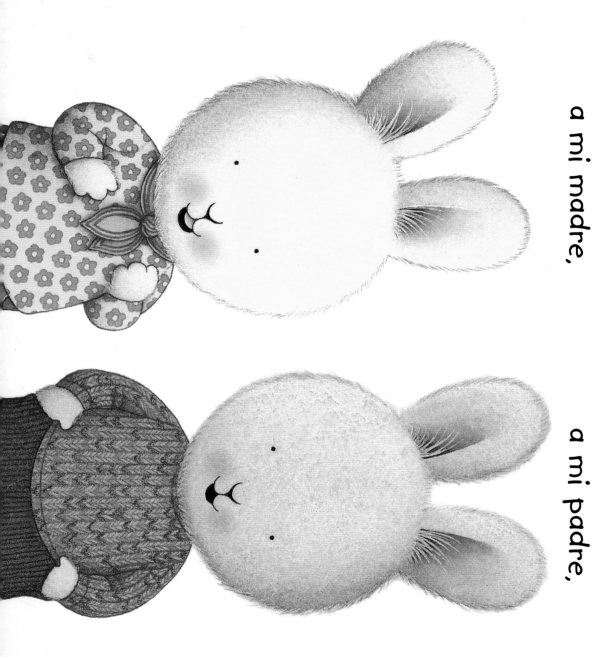

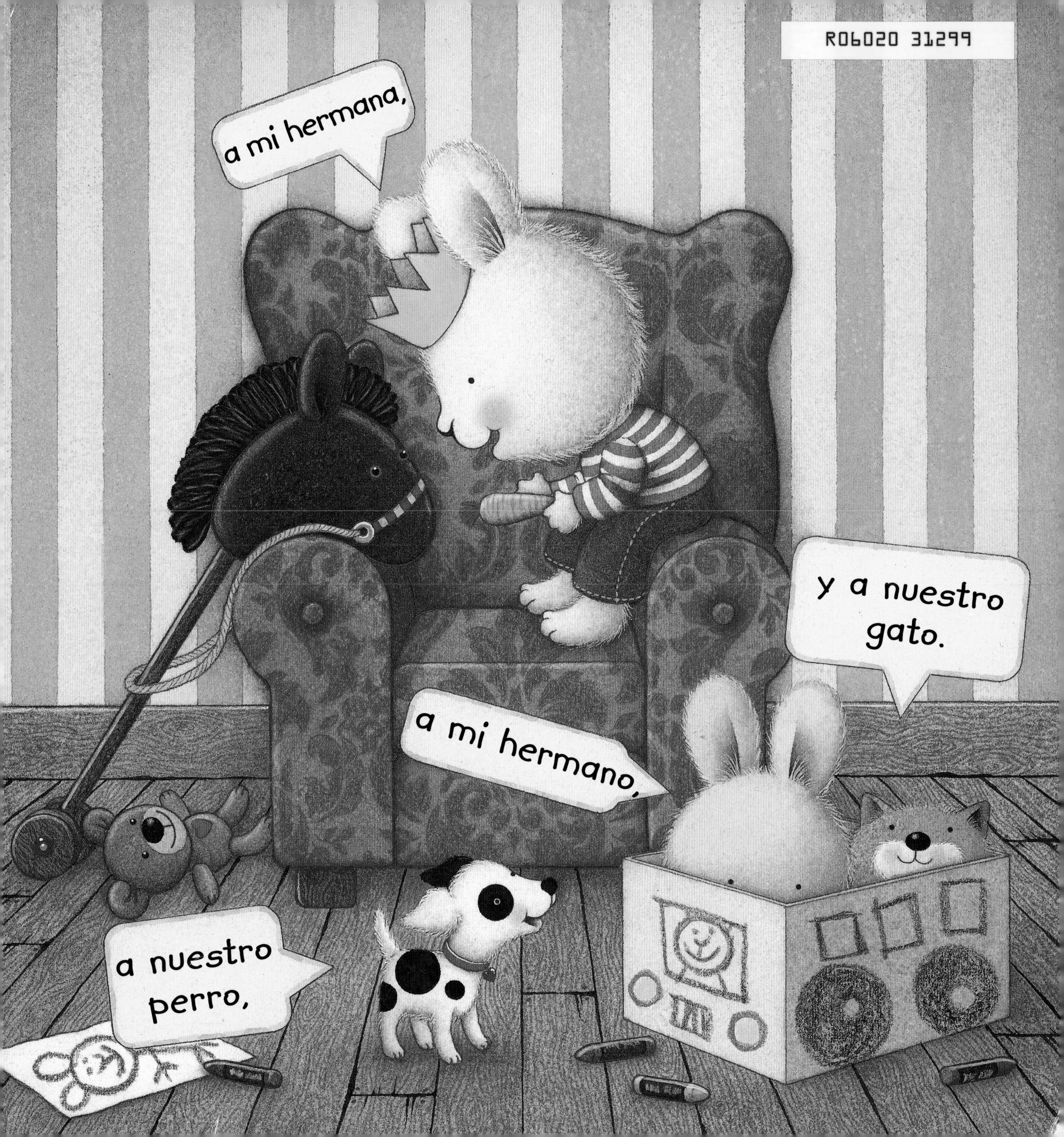
a mi hermana,
a mi hermano,
y a nuestro gato.
a nuestro perro,

Nos gusta hacer muchas cosas juntos
y con ellos me siento querido
y protegido.

Mi familia me cuida y me comprende
y entiende mis sentimientos.

Mis padres me ayudan a tomar buenas decisiones para que las cosas salgan bien.
Si tengo un problema sé que siempre puedo contar con ellos para que me escuchen y me ayuden.

También me regañan cuando me porto mal.
Entonces sé que no les gusta lo que he hecho
pero también sé que me siguen queriendo.

Lo siento.

Mis padres hacen que todos en la familia nos sintamos:

integrados

querrdos

aceptados

respetados

especiales

valorados

seguros

escuchados

protegidos

Hablamos con ellos de lo que significan estos sentimientos y de cómo mostrarlos entre nosotros.

Algunas familias son muy grandes,

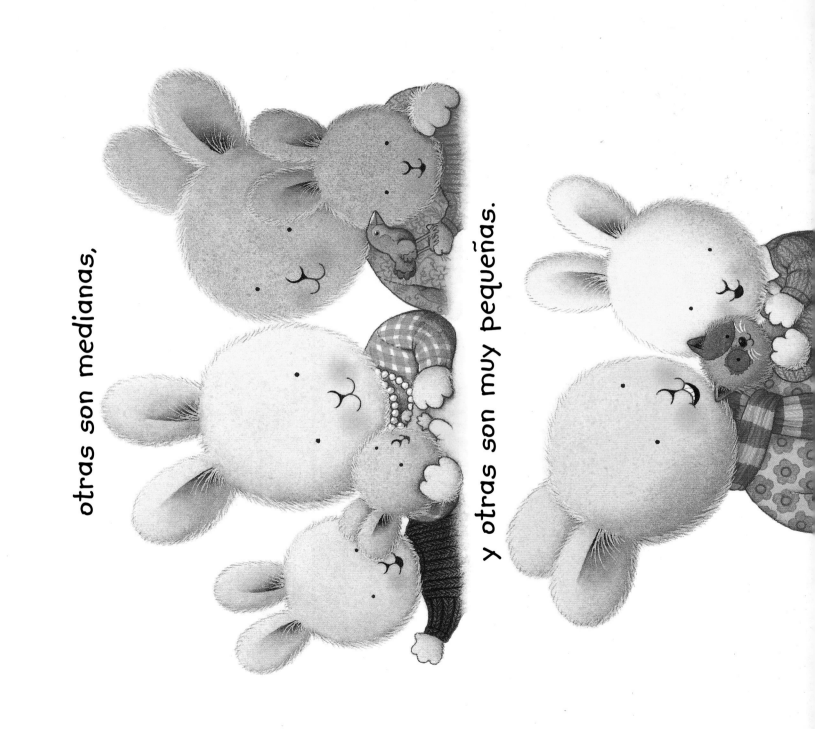

otras son medianas,

y otras son muy pequeñas.

Mi familia forma parte
de una familia mucho más grande.
Tengo abuelas, abuelos, tías,
tíos y muchos primos.

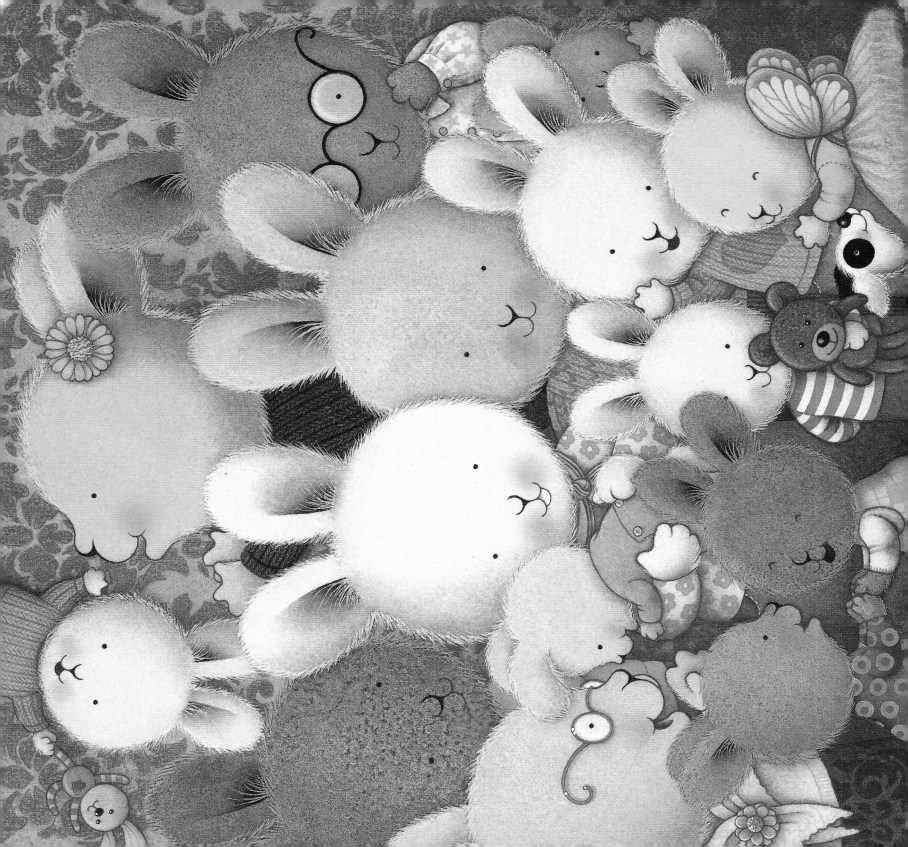

Nos reunimos en fechas especiales
como Navidad, cumpleaños y vacaciones.
Nos gusta mucho estar juntos
y lo pasamos muy bien.
Formar parte de mi familia
hace que me sienta especial.

Mis padres me dicen que me quieren mucho
y que están orgullosos de mí.
Y me dan muchos besos y abrazos.
Eso hace que me sienta contento
y seguro de mí.

Quiero mucho a mis padres.

En mi familia todos nos cuidamos
y apoyamos entre nosotros.
Por eso somos una familia.

Quiero mucho a mi familia.

NOTA PARA LOS PADRES

La autoestima es la clave

La colección **Cosas que me gustan de** muestra ejemplos sencillos de situaciones cotidianas de los niños para, a partir de ellos, generar un pensamiento positivo.

Tener una actitud positiva es, simplemente, ser optimista por naturaleza y mantener un buen estado de ánimo. Pero ser positivo no significa no ser realista. Las personas positivas reconocen que las cosas malas pueden ocurrir tanto a personas optimistas como pesimistas; sin embargo, las personas positivas buscan siempre la mejor manera posible de resolver problemas.

Los investigadores de la psicología positiva han comprobado que las personas con actitud positiva son más creativas, tolerantes, generosas, constructivas y abiertas a nuevas ideas y experiencias que aquellas con una actitud negativa. Las personas positivas tienen relaciones personales más satisfactorias y una mayor capacidad para el amor y la alegría. Además, son más alegres, sanas y longevas.

En este libro he usado muchas veces la palabra *gustar* ya que es una palabra simple pero poderosa que se usa para enfatizar nuestro pensamiento positivo sobre las personas, cosas, situaciones y experiencias. Creo que es la palabra que mejor describe el *sentimiento* de vivir de manera optimista y positiva.

LA FAMILIA

Hay muchos tipos de familias: familias con ambos padres, familias monoparentales, familias formadas por dos personas que tienen hijos de relaciones anteriores e hijos de la relación actual, familias cuyos hijos son adoptados... En todas ellas, la misión fundamental de la familia es ayudar al niño a sentir que pertenece tanto a ella como al mundo que le rodea.

Una familia feliz es aquella cuyos miembros se sienten queridos, valorados, seguros, protegidos y escuchados. En ella cada miembro encuentra consuelo, guía, ánimo, estímulo, comprensión y empatía. Los padres somos los responsables de transmitir los valores familiares y para ello debemos ser modelos a seguir por nuestros hijos. Los mensajes que los niños reciben de nosotros -no solo los verbales- moldean su manera de verse a sí mismos, su autoestima.

Las actividades en familia refuerzan los vínculos y las relaciones familiares, reafirman el sentido de pertenencia y potencian la comunicación en un ambiente más informal y lúdico. Todo esto hace que los miembros de la familia, a medida que crecen y esta aumenta, se conozcan y comprendan mejor y que todos se sientan una parte importante de la unidad familiar.

Trace Moroney

Trace Moroney es una autora e ilustradora de éxito internacional. Se han vendido más de tres millones de ejemplares de sus libros, traducidos a quince idiomas.

Primera edición: marzo de 2012
Segunda edición: abril de 2013

Título original: *The Things I love about Family*
Dirección editorial: Elsa Aguiar
Coordinación editorial: Teresa Tellechea
Traducción del inglés: Teresa Tellechea

Publicado por primera vez en 2011 por The Five Mile Press Pty Ltd
1 Centre Road, Victoria 3179, Australia

© del texto y de las ilustraciones: Trace Moroney, 2011
© The Five Mile Press Pty Ltd, 2011
© Ediciones SM, 2012
Impresores, 2 - Urbanización Prado del Espino
28660 Boadilla del Monte (Madrid)
www.grupo-sm.com

Atención al Cliente
Tel.: 902 121 323
Fax: 902 241 222
clientes@grupo-sm.com

ISBN: 978-84-675-5175-4
Impreso en China / *Printed in China*